Richard Scarry

Mein allerschönstes
Ferienbuch

Frau Glücklich
Zur schönen Aussicht
Köln/Rhein

Delphin Verlag

Es geht los

Alle fahren in die Ferien.
Herr Ferk und Herr Jäger nehmen den Zug.
Minimaus und Herr Fuchs auch.
Die große Maus hat sich ein Floß gebaut.
Herr Knolle bringt sein Auto auf die Autofähre.
Zum Glück wartet die Autofähre noch auf ihn.

Wo ist

die Lokomotive,
das Gleis,
die Schranke,
das Rettungsboot?

Im Flugzeug

Herr Knolle verreist nach Amerika.
Das ist weit weg.
Darum fliegt er mit dem Flugzeug.
Herr Ferk hat ein Flugzeug
ganz für sich allein.

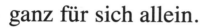

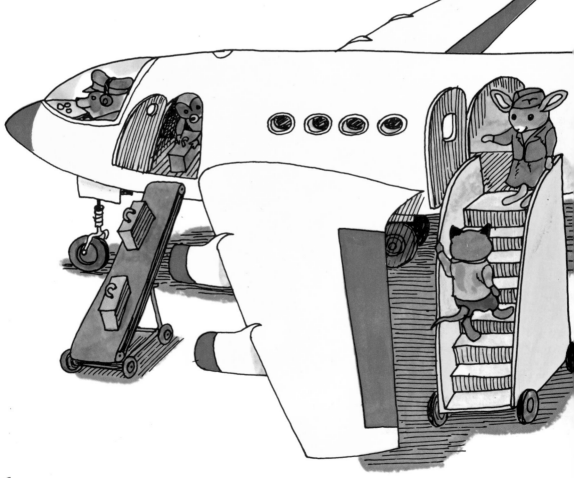

Welches ist

die Düsenmaschine,
das Sportflugzeug,
der Windsack,
der Hangar,
die Treppe,
die Stewardeß,
der Pilot,
der Propeller?

Ferien in den Bergen

Wir sind in die Berge gereist.
Wir wandern.
Wir spielen im Wald.
Wir klettern mit dem Seil.
Wenn es regnet,
bleiben wir im Ferienhaus.
Das Haus ist ganz aus Holz.

Siehst du

den Apfel,
das Beil,
den Rucksack,
die Nagelschuhe?

Am Wasser

So viele Boote gibt es auf dem Wasser!
Ein großes Segelboot segelt im Wind.
Auf dem Fischerboot trocknet
der Fischer seine Netze.

Was trocknet
auf dem Hausboot?

Welches Boot
gefällt dir
am besten?

Am Strand

Warum sitzt der Bär am Strand?
Er ist der Wächter.
Er schaut aufs Meer.
Er paßt auf, daß niemand ertrinkt.
Wir spielen im Sand.

Auf dem Zeltplatz

Wir sind mit dem Auto verreist und wollen zelten.
Auf dem Zeltplatz stellen wir das Zelt auf.
Dann wird gekocht.
Alle haben Hunger, die Ameisen auch.
Die Würste riechen gut.
Sie schmecken auch gut.
Wir sind müde und gehen schlafen.
Wir schlafen im Zelt.

Siehst du

die Holzkohle,
das Feldbett,
den Senftopf,

die Zeltschnur,
die Grillgabel,
den Brotkorb?

Ferienfeste

Das schönste Fest in den Ferien
ist Weihnachten. Der Tannenbaum
ist geschmückt. Der Weihnachtsmann
bringt Geschenke. Draußen ist es kalt,
im Zimmer ist es warm.
Zu Ostern gibt es Osterferien.
Bunte Eier werden versteckt.
Wir suchen sie überall.

16

Karoline hat in den Ferien Geburtstag.
Mama hat einen Kuchen gebacken.
Fünf Kerzen stecken auf dem Kuchen.
Karoline kann den ganzen Tag spielen,
es sind ja Ferien.
Hast du auch in den Ferien
Geburtstag?

Winterferien

Im Winter ist es kalt.
Es schneit. Es friert.
Wir fahren Schlitten.
Wie das saust!
Ulrich fährt Ski.
Brummi spielt Hockey
auf dem Eis.
Minimaus wirft
einen Schneeball auf
Brummi.
Trifft sie ihn?

Im Häuschen steht Philipp und angelt.
Er hat ein Loch in das Eis gesägt.
Hoffentlich beißt ein Fisch an!

Ferien zu Hause

Brummi verreist in den
Ferien nicht.
Er bleibt zu Hause.
Aber er ist nicht allein.
Andere Kinder verreisen
auch nicht.
Brummi spielt mit den
Kindern.
Sie spielen den ganzen Tag
zusammen.

Was spielen sie?

Sie lassen Flieger fliegen.
Sie spielen Ball.
Sie kochen für die Puppen.
Sie tanzen zusammen.
Sie spielen Verstecken und Fangen.
Sie helfen Mama ein wenig.

Mit Hans Hase spielt Brummi
Dame und Mühle.
Es steht schlecht für Brummi.
Er muß lange nachdenken.

Hans Hase hat doch gewonnen.
Jetzt gehen sie wippen.
Hans Hase setzt sich auf die Wippe.
Dann setzt sich Brummi darauf.
Hans Hase wippt nach oben.
Die Wippe wippt nicht wieder runter.
Hans Hase bleibt oben.
Warum?